Een kameel met heimwee

Lieneke Dijkzeul
Tekeningen van Helen van Vliet

Zwijsen

op weg

LEESNIVEAU

		ME	ME	ME	ME	ME		
AVI	S	3	4	5	6	7	P	
CLIB	S	3	4	5	6	7	8	P

fantasie, avontuur

Toegekend door Cito i.s.m. KPC Groep

1e druk 2009
ISBN 978.90.487.0375.3
NUR 282

Deze titel is eerder verschenen bij Uitgeverij Zwijsen in de serie Bolleboos. Oorspronkelijke uitgave 1996.

Vormgeving: Rob Galema
Uitgeverij Zwijsen B.V., Tilburg

Voor België:
Uitgeverij Zwijsen.be, Antwerpen
D/2009/1919/280

Inhoud

1. De zeemanskist

Het is zondag.
De regen klettert tegen de ramen en de lucht is grijs. Het is zo'n zondag die eigenlijk beter regendag had kunnen heten.
Zo'n zondag waarop vaders en moeders eerst heel lang blijven uitslapen en daarna uitgebreid de krant gaan lezen, of een boek. Zo'n zondag waarop je je verschrikkelijk kunt vervelen.
Rozemarijn verveelt zich ook.
Ze zit voor het raam en kijkt naar de kletsnatte tuin. Op het gras staat een kabouter met een rode puntmuts op. Hij duwt een kruiwagentje, alleen komt hij niet vooruit, want het is een stenen kabouter. De kabouter kijkt een beetje nijdig, maar dat komt omdat er een stukje van zijn gezicht is afgebroken. Vandaag lijkt het wel alsof hij nog bozer kijkt dan anders, en Rozemarijn begrijpt best waarom.
Het is vast niet leuk om in de regen in de tuin te staan, zelfs al ben je dan van steen.
Ze zucht, wat zal ze nou eens gaan doen?
Ze heeft al getekend, gevingerverfd en gekleid.
Naar buiten? Dan kan ik de kabouter helpen duwen, denkt ze. Ze moet er zelf om lachen, want naar buiten met dit weer mag ze toch niet.
Rozemarijn draait zich om.
'Pap,' zegt ze, 'zullen we een spelletje gaan doen?'

Papa zit helemaal achter de krant verstopt.
'Straks,' mompelt hij, 'als ik de krant uit heb. Ga maar lekker spelen.'
'Ik weet niks meer,' zegt Rozemarijn knorrig. 'Mijn boek is uit en mijn viltstiften zijn leeg en de klei is allemaal door elkaar en mijn tekenpapier is op en ...'
Maar papa hoort haar niet eens, hij is alweer achter de krant verdwenen. En straks gaat hij vast een middagdutje doen, dat doet hij altijd op zondagmiddag.
Rozemarijn kijkt naar mama. Die zit een boek te lezen.

'Aan jullie heb ik ook niks,' zegt Rozemarijn nijdig. Ze stampt naar de deur. Mama kijkt op. 'Wat ga je doen?'
'Ik ga de héle middag op zolder spelen,' zegt Rozemarijn.
De zolder staat vol met spulletjes die ze niet meer gebruiken, maar die mama niet weg wil gooien. Dozen met boeken, dozen met ouderwetse kleren, een kapstok vol met rare hoeden, legpuzzels waarvan een stukje zoek is, oude stoelen, te veel om op te noemen.
Rozemarijn speelt niet vaak op zolder omdat het er zo donker is. Overal griezelige schaduwen, duistere hoekjes en krakende planken.
Maar vandaag is echt een dag om eens iets anders te doen, en dus klimt ze de trap op en doet ze boven gauw het licht aan.
Ze kijkt rond. Zal ze een verkleedpartij gaan houden?
Daar hangt een oude jas van papa, en met zo'n grote hoed op lijkt ze vast net een struikrover.
Maar dan ziet ze opeens de grote kist die van opa is geweest. Een zeemanskist is het, want opa was kapitein op een groot schip.
De kist is van donkerbruin hout, bovenop versierd met allemaal prachtige krullen en slingers.
Er zit een koperen slot op, en daarin steekt een grote, koperen sleutel.
Rozemarijn heeft wel eens geprobeerd de kist open te maken, maar dat lukte niet, omdat het deksel te zwaar was. Maar misschien is ze nu sterk genoeg.

Rozemarijn draait de sleutel om en begint te trekken. Ze hijgt en puft, haar armen trillen.
Maar het lukt! Het deksel gaat langzaam open, tot het rechtop staat.
De kist is diep, en hij ruikt naar sigaren en een beetje naar touw.
Er ligt een uniform in, donkerblauw met gouden strepen op de mouw, en bovenop ligt een grote pet met een gouden bies.
Rozemarijn zet de pet op, en hij zakt helemaal over haar oren.
Onder het uniform liggen een paar boeken met kaarten erin, vreemde kaarten, er staat geen land op, maar water. Het zijn natuurlijk ook geen landkaarten, maar zeekaarten. Alle kapiteins gebruiken die.
Rozemarijn graaft verder. Onder haar vingers voelt ze iets hards, een kettinkje. Ze trekt het te voorschijn. Aan het kettinkje hangt een soort horloge met maar één wijzer.
Ze kijkt nog eens goed. Het is geen horloge, het is een kompas. Papa heeft er ook een. En die wijzer heet een naald, een naald die altijd naar het noorden wijst. Dat heeft papa haar wel eens uitgelegd. Zo kun je nooit verdwalen, zelfs niet op een grote oceaan, want je weet altijd in welke richting je vaart.
De kist is leeg, of toch niet?
Helemaal onderin glinstert iets. Rozemarijn buigt zich nog dieper over de rand, ze kan er maar net bij. Het is een doosje, een zilveren doosje.

Rozemarijn maakt het gauw open.
In het doosje ligt een roodfluwelen lapje, en op het lapje ligt een spiegel.
De raarste spiegel die Rozemarijn ooit heeft gezien.

2. Het raadsel

De spiegel ziet er echt gek uit.
Hij heeft de vorm van een kat. Een slanke kat die rechtop zit, met zijn staart keurig om zijn voorpootjes geslagen.
De kat heeft puntige oortjes, precies zoals een kat hoort te hebben, maar hij heeft geen gezicht.
Zijn gezicht is de spiegel.
Rozemarijn draait het geheimzinnige ding om en om in haar handen.
Op de achterkant staan krasjes en lijntjes, het lijken net heel kleine tekeningetjes.
Opa heeft hem natuurlijk in een ver land gekocht, denkt Rozemarijn, toen hij nog kapitein was op zijn schip.
Ze spuugt op het glas en veegt het schoon met haar mouw.
Het glas is nu mooi helder. Ze ziet duidelijk haar paardenstaart, en de sproetjes op haar neus, en haar spiksplinternieuwe voortand.
Rozemarijn vergeet het mooie uniform en de zeekaarten.
Ze zet de pet af en rent naar beneden. ‘Kijk eens wat ik gevonden heb?’
Papa kijkt op van zijn krant.
‘Wat dan?’
‘Een spiegel!’
‘Waar heb je die gevonden?’

‘Op zolder,’ zegt Rozemarijn, ‘in de zeemanskist van opa’
‘Laat eens zien, dat ding?’ vraagt papa.
Hij bekijkt de spiegel aan alle kanten.
Hij loopt ermee naar het raam en daar bekijkt hij hem nog eens. Hij wrijft met zijn vinger over de tekening aan de achterkant.
‘Weet je wat dit is?’ zegt hij.
Rozemarijn kijkt hem verbaasd aan.
‘Een spiegel. Dat zei ik toch al!’
‘Ja’ zegt papa, ‘maar dit is een spiegel uit Egypte, tenminste, dat denk ik. Die spiegel is wel tweeduizend jaar oud, of misschien wel drieduizend jaar!’
En dan doet hij heel merkwaardig.
Hij holt naar de telefoon, draait haastig een nummer en gaat heel lang en heel opgewonden zitten praten.
Rozemarijn wil iets zeggen, maar papa wuift ongeduldig dat ze haar mond moet houden.
‘Mama,’ fluistert Rozemarijn, ‘wat is Egypte?’
‘Een warm land, hier ver vandaan,’ fluistert mama terug. ‘Daar rijden ze nog op kamelen door de woestijn.’
‘Kun je daar met een schip naartoe?’ vraagt Rozemarijn.
Mama knikt.
‘Ja hoor, dat kan. Ik denk dat opa er wel eens is geweest.’
Rozemarijn lacht. Zie je wel dat ze het goed geraden had? Opa heeft de spiegel natuurlijk in Egypte gekocht!

Papa legt eindelijk de telefoon neer.

'Wat duurde dat vreselijk lang. Wie heb je nou gebeld?' vraagt Rozemarijn.

'Oom Johan, hij is al onderweg hiernaartoe,' zegt papa. 'En ik denk dat hij ons precies kan vertellen wat die woorden op de achterkant betekenen.'

'Het zijn geen woorden, het zijn tekeningen!' roept Rozemarijn.

'Dat weet ik wel, maar heel lang geleden gebruikten de mensen in Egypte die tekeningen als woorden,' zegt papa. 'Ze schreven niet met gewone letters, zoals wij, maar met tekeningen. Kijk, je kunt bijvoorbeeld het woord 'boerderij' schrijven, maar je kunt ook een boerderij tékenen, begrijp je wel?'

Rozemarijn snapt het niet echt, maar dat hindert niet, want de bel gaat, en daar is oom Johan.

Hij heeft een stapel boeken onder zijn arm en hij vergeet mama een zoen te geven en Rozemarijn aan haar paardenstaart te trekken, want hij is net zo opgewonden als papa.

Ze gaan meteen aan de tafel zitten. Samen bladeren ze in de boeken en schrijven rare tekentjes op een kladblok.

Rozemarijn staat erbij, maar het duurt verschrikkelijk lang.

'Weten jullie het al?'

'Bijna, nog even geduld,' zegt papa. 'Kijk, Johan, als dit nu eens ...'

En hij buigt zich weer over een ander boek.

Rozemarijn zucht. Ze staat eens op haar ene been, ze wiebelt eens op het andere.

En eindelijk zegt oom Johan: ‘Ik denk dat ik weet wat er achter op de spiegel staat. Het is een soort raadsel, Rozemarijn.’
‘Een raadsel?’
‘Ja,’ zegt oom Johan. ‘Luister maar.’
Hij gaat er eens gemakkelijk bij zitten.
‘Er staat:

Een kat heeft negen levens.
Negen levens, negen wensen,
als de kat zich wassen mag.
Vijf wensen voor de koning
en vier voor de mensen.’

Oom Johan kijkt op. ‘Dat is wat er staat. Maar wat het betekent? Het lijkt wel geheimschrift!’

3. Het is een toverspiegel!

Even zijn ze allemaal stil.
Mama trekt een denkrimpel, papa krabt op zijn hoofd, en oom Johan strijkt over zijn baard.
'Tja' zegt hij verlegen, 'ik begrijp echt niet wat ermee bedoeld wordt. Maar in het oude Egypte dachten ze dat katten heel bijzondere dieren waren, en daarom ...'
'Wassen!' schreeuwt Rozemarijn.
'Hè?' zegt papa.
'Kijk dan!' roept Rozemarijn. 'Kijk dan hoe een poes zich wast!'
Ze likt aan haar hand en wrijft over haar gezicht, net zoals een poes dat met een voorpootje doet.
'Je moet over de spiegel wrijven!' roept ze. 'En dan mag je een wens doen, want het is een toverspiegel!'
Ze kijken haar stomverbaasd aan.
'Een toverspiegel?' roept papa.
'Een toverspiegel?' gilt mama.
'Een toverspiegel,' zegt Rozemarijn plechtig. Oom Johan zegt niks. Hij strijkt weer nadenkend over zijn baard.
Papa begint te bulderen van het lachen.
'Ach, Rozemarijn,' zegt hij, 'als dat eens werkelijk waar was! Dan toverde ik meteen een miljoen euro!'
'En ik een kast vol prachtige, nieuwe jurken,' zegt mama.

Ze lachen allebei.
'Het is mijn spiegel, hoor!' roept Rozemarijn. 'Ik heb hem gevonden! En ik wil helemaal geen miljoen euro, en ook geen nieuwe feestjurken. Ik wil iets leuks!'
Papa en mama lachen nog harder.
'Nou ja,' zegt papa, 'het is klinkklare onzin, natuurlijk.'
'Dat weet ik nog niet zo zeker,' zegt oom Johan ernstig. 'Katten zíjn bijzondere dieren, daar hadden die Egyptenaren wel gelijk in, Ik zou jullie verhalen kunnen vertellen ...'
'Zie je wel?' zegt Rozemarijn. 'Natuurlijk is het een toverspiegel. Het staat er toch op, oom Johan zegt het zelf en hij kan het weten! Mag ik het proberen, pap?'
Maar papa schudt verschrikt zijn hoofd.
'Geen sprake van. Ik vind het maar griezelig. Wie weet wat er kan gebeuren.'
'Toe nou,' zegt Rozemarijn, 'doe nou niet zo flauw, één klein wensje maar.'
'Eh,' zegt oom Johan, 'als ik jullie was, zou ik uitkijken met dat ding. Je kunt er beter nog eens goed over nadenken, Rozemarijn. Weet je wat een oud Oosters spreekwoord zegt?'
'Nou?'
'Wees voorzichtig met uw wensen, ze mochten eens in vervulling gaan,' zegt oom Johan ernstig.
'Dat vind ik ook,' zegt mama. 'Blijf je eten, Johan? We hebben biefstuk en sperzieboontjes en warme appeltaart toe.'

4. Rozemarijn doet een wens

Als Rozemarijn de volgende morgen wakker wordt, weet ze het meteen weer.
De toverspiegel!
Ze springt uit bed, pakt de spiegel uit het doosje en holt ermee naar de slaapkamer van papa en mama.
Die zijn ook net wakker.
Mama ligt nog in bed, en papa zit geeuwend op de rand.
'Goedemorgen, Rozemarijntje.'
'Hoi pap,' roept Rozemarijn, 'ik weet al wat ik ga wensen, en het is helemaal niet gevaarlijk!'
'Wat dan?' gaapt papa.
'Ik wil zo vreselijk graag naar Egypte, naar het land van de spiegelpoes,' zegt Rozemarijn. 'Mama zegt dat ze daar op kamelen rijden in de woestijn.'
'Tjonge,' lacht papa, 'dat is heel ver weg, Rozemarijn. Dan moet ik wel even naar kantoor bellen dat ik een snipperdag neem.'
Mama gaat rechtop zitten.
'En als de spiegel niet werkt, ga je dan eindelijk de auto wassen?'
'Nee, dan eh ... uh ... dan ga ik lekker uitslapen,' zegt papa en hij kijkt erbij alsof hij stiekem hoopt dat de spiegel het niet doet.
'Natuurljk doet de spiegel het,' zegt Rozemarijn. 'Oom Johan zegt het zelf!'

Ze spuugt op haar hand en wrijft vliegensvlug over de spiegel.
'Wij willen naar Egypte,' zegt ze duidelijk.
'Hé!' zegt papa.
'Rozemarijn, niet doen!' roept mama verschrikt.
Maar het is al te laat, Rozemarijn voelt dat ze een beetje duizelig wordt.
Het is net of ze ronddraait, sneller, steeds sneller.
Ze knijpt haar ogen dicht.

5. In de woestijn

Als Rozemarijn haar ogen opendoet, staat de wereld weer stil.
Maar ze is niet meer in de slaapkamer.
Tussen haar tenen kriebelt zand, en op haar hoofd schijnt warm de zon.
Daar staan ze met zijn drieën in hun pyjama, tot hun enkels in het zand, midden in de woestijn van Egypte.
'Hoera!' roept Rozemarijn. 'We zijn er!'
Papa hijst zijn afgezakte pyjamabroek op en wrijft over zijn stoppelige ochtendwang.
'Mooie boel,' bromt hij, 'ik heb me nog niet eens fatsoenlijk geschoren.'
'Geeft niks,' zegt mama, 'ik heb wel eens gelezen dat in Egypte bijna alle mannen een baard hebben.'
'Maar ze lopen vast niet in hun pyjama over straat,' zegt papa boos.
'We lopen niet over straat,' zegt Rozemarijn. 'We lopen in de woestijn. Welke kant moeten we op, pap?'
Papa kijkt om zich heen.
De zonnestralen blikkeren fel op het hete, witte zand, en de lucht is zo stralend blauw als Rozemarijn nog nooit heeft gezien.
'Warm,' moppert papa, 'overal zand en nergens een telefooncel.'

'Wat moet je met een telefooncel?' vraagt mama.
'Opbellen natuurlijk, naar kantoor, dat ik vandaag niet kom.'
'Daar' roept Rozemarijn en ze wijst in de verte.
'Daar staat een dak!'
'Dat is geen dak, dat is een piramide, zegt mama.
'Laten we ernaartoe gaan om hem te bekijken. We zijn hier nou toch, en ik heb nog nooit een piramide van dichtbij gezien.'
'Wat is dat, een piramide?' vraagt Rozemarijn. 'Dat is een heel oud graf van een Egyptische koning,' legt mama uit. 'In Egypte zijn een heleboel piramides, en zo'n koning heet een farao.'
Ze sjokken door het rulle zand.
De zon klimt steeds hoger in de helderblauwe lucht, en het duurt lang voor de piramide dichterbij komt.
Maar eindelijk zijn ze er.
Rozemarijn kijkt er verwonderd naar. Wat groot, en wat een vreemd ding!
Het is net een stenen dak, dat zomaar op de grond staat, en het heeft vier kanten die in een punt toelopen.
Voor de piramide staan reusachtige beelden die op een leeuw lijken, maar ook wel een beetje op een mens.
Rozemarijn wijst naar de piramide.
'Ligt hij er nog in, mam?'
'Wie?' vraagt mama.
'Die koning.'
'Nee hoor, allang niet meer,' zegt mama.

Gelukkig, denkt Rozemarijn. Ze zou het leuk vinden om eens een echte koning te zien, maar niet als hij dood is.
En dan worden haar ogen groot.
'Kijk daar eens!' gilt ze. 'Kamelen!'

6. Drie kamelen

Om de hoek van de piramide verschijnen drie kamelen.
Op de voorste zit een man met een baard, hij heeft een kleurige doek om zijn hoofd gewonden.
'Hallo,' roept papa, 'hierheen!'
De man stuurt de kamelen hun kant uit.
Als hij vlakbij is, gaat zijn kameel op zijn knieën liggen, en de man stapt af.
'Hij heeft een tulband om' zegt mama zacht.
'En hij heeft ook een nachtpon aan, net als jij, zie je wel, mama?' zegt Rozemarijn.
'Agfa-ella-fara' zegt de man terwijl hij naar de kamelen wijst, en hij lacht vriendelijk.
'We mogen erop,' zegt Rozemarijn, 'hiep hoi!'
'Ik zoek eigenlijk een telefooncel,' zegt papa beleefd.
De man begrijpt hem niet.
'Agfa-ella-fara,' zegt hij weer.
'Een telefooncel, bellen, weet u wel?' zegt papa. 'Ring-ring!'
'Hou nou op,' fluistert mama, 'je hebt tóch geen kwartje bij je.'
De andere kamelen gaan ook op hun knieën liggen.
'Kom,' zegt Rozemarijn.
Ze klimmen tussen de bulten, mama en Rozemarijn samen op een kameel, en papa op de andere.

De kamelen komen schommelend overeind.

Dwars door de woestijn rijden ze naar een stad, een echte Egyptische stad, met witte huizen en smalle straatjes.

Op een pleintje staan de kamelen stil en zakken weer door hun knieën.

Als ze afgestapt zijn, bindt de man de kamelen vast aan een boom.

'Fara-ella-agbar,' zegt hij, en verdwijnt in een steegje.

'Hij gaat weg, wat moeten we nou doen?' zegt papa benauwd.

'Gewoon, de stad bekijken, daar kwamen we toch voor?' lacht mama. 'Laten we maar genieten van onze vakantiedag!'

Eerst gaan ze naar een markt waar je koperen koffiekopjes kunt kopen, en mooie dunne glimstoffen voor bloesjes, en geiten, en vlees en fruit en allerlei soorten groente.

Rozemarijn krijgt zomaar een dikke meloen van een aardige mevrouw met een sluier.

Ze eten de meloen, en dan gaan ze een kerk bekijken met vreemde torentjes erop. Net een ui met een sprietje bovenaan.

'Een minaret heet dat,' zegt mama, 'en zo'n kerk heet een moskee.'

De hele dag wandelen ze door de stad, en pas als het schemerig wordt, komen ze weer bij het pleintje.

De kamelen liggen nog geduldig op hun knieën.

‘We moeten zo naar huis, Rozemarijn,’ zegt papa. ‘De dag is bijna om, het wordt al donker.’
Rozemarijn knikt en aait een van de kamelen over zijn kop.
Dit is de liefste, denkt ze. Hij kijkt zo droevig, en hij heeft zo’n leuk vlekje op zijn neus.
Ze maakt de teugels los en klimt tussen de bulten. Ze spuugt op de spiegel en wrijft.
‘Wij willen terug naar huis,’ zegt ze. En heel zachtjes fluistert ze er gauw achteraan: ‘En de kameel moet mee.’
Ze voelt hoe ze weer duizelig wordt, en ze klemt zich stevig vast aan een pluk kamelenhaar.
Als ze haar ogen opendoet, zijn ze in hun eigen straat.
Papa en mama staan op het tuinpad, en Rozemarijn zit nog steeds op de kameel.
‘Wat moet dat beest?’ roept papa.
‘Ik vond hem zo lief,’ zegt Rozemarijn. ‘Mag ik hem houden, pap? Hij kan best in het schuurtje, naast jouw brommer.’

7. Help!

De volgende morgen gaat papa weer naar zijn werk, gladgeschoren en met een keurig pak aan.
Maar voor hij weggaat, kijken ze eerst met zijn drieën in het schuurtje.
De kameel ligt een beetje klem tussen de brommer en de tuinstoelen, maar als hij hen ziet, zegt hij vrolijk:
'Toe-hoet!'
'Het lijkt wel een claxon,' lacht mama. 'Een schorre claxon,' bromt papa.
'Hij moet wat eten,' zegt mama. 'Wat denken jullie, zou hij gras lusten?'
'Vast wel,' zegt Rozemarijn en ze pakt de teugels. 'Kom maar, Toet.'
'Hoe noem je dat malle beest?' vraagt papa.
'Toet, dat is een mooie naam voor hem,' zegt Rozemarijn. 'Hup Toet, naar buiten.'
'Dat heb je goed bedacht,' lacht mama. 'Een echte Egyptische naam, want lang geleden was er een Egyptische koning die Toetanchamon heette.'
Toetanchamon krabbelt overeind.
Hij schopt per ongeluk tegen de brommer, hij gooit de pot met schroefjes om en hij stoot zijn kop tegen het dak. Maar dan staat hij eindelijk buiten.
Papa doet een stapje achteruit en houdt zijn kantoorkoffertje stevig vast.

‘Hij is wel groot, hè?’
‘Dat komt omdat onze tuin maar klein is, dan lijkt Toetanchamon groter,’ zegt Rozemarijn.
‘Straks trapt hij mijn hele brommer kaal,’ moppert papa.
‘Niet zeuren,’ zegt mama, ‘je doet toch niks meer met die brommer.’
Toetanchamon ruikt aan een struik, hij snuffelt eens aan de pot met geraniums, en dan buigt hij zijn kop en gaat grazen.
‘Rozemarijn, haal jij eens een emmer water voor hem,’ zegt mama.
‘Een hele emmer?’
‘Ja,’ zegt mama, ‘kamelen kunnen heel veel drinken, wel honderd liter tegelijk. En daarna kunnen ze een hele tijd zonder water, als het moet. Daarom zijn ze ook zo geschikt voor de woestijn.’
Rozemarijn rent naar binnen en komt met een emmer water terug.
Toetanchamon begint er direct van te drinken, hij slobbert achter elkaar de hele emmer leeg.
‘Haal nog maar een emmer,’ zegt mama. ‘Volgens mij heeft dat beest dorst.’
Toetanchamon drinkt ook de tweede emmer leeg, en nog een derde. Daarna gaat hij weer grazen.
Papa geeft mama een kusje. ‘Tot straks.’
‘Jij moet naar school, Rozemarijn,’ zegt mama, ‘ik pas zolang wel op Toet.’

Op school vertelt Rozemarijn aan de kinderen in de kring over Toetanchamon.

Alle kinderen willen hem natuurlijk zien, en de juf is ook nieuwsgierig.
'Mag ik hem halen?' vraagt Rozemarijn.
'Ja hoor, dan krijgen jullie vandaag een les over kamelen,' zegt de juf.
Rozemarijn rent naar huis.
Toetanchamon staat nog in de tuin, en mama staat ernaast.
Terwijl zij de was ophangt, sabbelt Toet gezellig aan een sok.
'Ik mag hem op school laten zien!' hijgt Rozemarijn.
'Leuk, neem hem maar gauw mee, dan kan intussen de was drogen,' zegt mama. 'Hij heeft ook al een zakdoek opgegeten.'
'Lust hij dat?'
'Ja,' zegt mama, 'en hij lust ook geraniums.' Rozemarijn kijkt naar de bloembak waar alleen nog een paar kale stengeltjes in staan.
'Ik koop wel nieuwe,' zegt mama. 'Dan zet ik ze in de voortuin.'

Als Rozemarijn terugkomt op school, staat de hele klas al buiten op het plein.
Ze willen allemaal een ritje maken op Toets rug, alleen de juf durft niet.
'Het is zo hoog, ik durf ook niet op een paard,' zegt ze.
'Zullen we samen gaan, juf, dan houdt u zich gewoon aan mij vast,' zegt Rozemarijn.
'Vooruit dan maar,' zegt de juf.

Ze klimmen tussen de bulten.
'Hij prikt wel een beetje,' zegt de juf.
Toetanchamon vindt alles best, goedig sjokt hij rondjes over het schoolplein.
De juf geeft hem een appel, en die eet hij helemaal op, ook het steeltje.
'Hij lust alles!' zegt Rozemarijn trots.
'Ik vind hem erg lief,' zegt de juf, 'en ik heb een idee. Over een paar dagen hebben we de rommelmarkt, weet je wel?'
Rozemarijn knikt.
Ze gaan een rommelmarkt houden op het schoolplein, om geld te verdienen voor nieuwe schommels en klimrekken. Het plein wordt versierd, er worden oliebollen gebakken en er komt een ijscokarretje. Het wordt een groot feest.
'Als jij nou Toetanchamon meeneemt,' zegt de juf, 'dan moet iedereen die een ritje wil maken, vijftig eurocent betalen.'
'Ja!' roepen de kinderen opgetogen. 'Dan verdienen we vast een heleboel!'
'Dat denk ik ook,' zegt de juf. 'Zou Toet het willen, Rozemarijn?'
'Vast wel, hij is eraan gewend dat er iemand op zijn rug zit,' zegt Rozemarijn. 'En ik vind het ook leuk, juf. Mag ik dan voor kassa spelen?'
'Ja hoor,' zegt de juf, 'natuurlijk mag dat, het is tenslotte jouw kameel.'
Rozemarijn straalt van trots.
'Vraag maar aan je vader en moeder of ze het goedvinden,' zegt de juf.

Als Rozemarijn Toetanchamon weer naar huis wil brengen, ziet hij opeens de zandbak van de kleuters. Voor ze hem kan tegenhouden, staat hij er al middenin.

Hij schuurt lekker met zijn kop door het zand en hij gooit zijn achterpoten omhoog. Hij vindt het geweldig, hij roept wel tien keer keihard: 'Toe-oet!'

Hij schraapt met zijn hoeven, en ten slotte gaat hij in het zand liggen rollebollen.

'Kom, Toet,' zegt Rozemarijn, 'we moeten naar huis.'

Ze klimt op zijn rug en pakt de teugels.

Toetanchamon draait zijn kop naar haar om.

'Toet?' zegt hij smekend. Hij wil niet naar huis, hij wil in de zandbak blijven.

'Kom,' zegt Rozemarijn zachtjes, 'morgen mag je weer.'

Toetanchamon laat zijn kop zakken, en opeens ziet hij er heel verdrietig uit.

Als ze door de stad wandelen, vrolijkt Toet gelukkig weer een beetje op.

Maar erg hard loopt hij niet, want hij wil alles uitgebreid bekijken. Hij snuffelt aan lantarenpalen, hij ruikt aan bomen, hij neemt eens een hapje van een struik.

'Vort, Toet!' roept Rozemarijn steeds, en dan geeft ze hem een schopje in zijn flanken, net zoals je dat bij een paard moet doen.

Maar Toetanchamon trekt zich er weinig van aan, en Rozemarijn vindt het eigenlijk niet zo erg, want

het is fijn om op de rug van je eigen kameel door de straten te rijden.
De mensen kijken allemaal naar hen, en een mevrouw vraagt: ‘Zijn jullie van het circus?’

Bij de groentewinkel gaat het mis.
Zodra Toetanchamon de kisten met groente en fruit op de stoep ziet staan, gaat hij eropaf. Voor Rozemarijn hem kan tegenhouden, eet hij twee appels tegelijk op. Daarna begint hij aan een komkommer, maar die lust hij niet. Hij spuugt hem meteen weer uit.
‘Niet doen, Toet!’ roept Rozemarijn. Ze sjort aan de teugels, maar Toetanchamon luistert niet. Hij buigt zijn kop en hup, daar gaat een tros druiven. Rozemarijn hoort de pitjes kraken tussen zijn tanden.
De groenteman stuift zijn winkel uit.
‘Wat doet dat beest?’
‘Hij eet druiven,’ zegt Rozemarijn.
‘Dat zie ik’ zegt de groenteman. ‘Wil je wel eens gauw maken dat je wegkomt!’
Hij pakt ook een teugel en trekt eraan.
Toetanchamon doet een stapje opzij, maar nu ontdekt hij een kistje met vijgen. Heerlijk zoete vijgen, net als thuis in Egypte, Toet herkent ze meteen. Hij toetert verheugd en steekt zijn kop in het kistje.
‘Hela!’ schreeuwt de groenteman. ‘Daar gaat mijn handel! Die dingen kosten een tientje per kilo, is dat beest nou helemaal!’
Rozemarijn geeft Toet een klap op zijn achterste en trekt weer aan de teugels.

......

Toetanchamon draait zijn kop om en spuugt een pit uit. Verbaasd kijkt hij haar aan.
'Agfa-dinges!' roept Rozemarijn. 'Ella-akkeba! Nee, agfa-ella-akbar!'
En eindelijk snapt Toetanchamon wat ze bedoelt. Gehoorzaam begint hij te lopen. Rozemarijn geeft hem nog een schopje, en op een sukkeldrafje gaan ze de hoek om.
Nog maar twee straten, denkt Rozemarijn opgelucht, dan zijn we thuis.
Ze rijden langs het plantsoentje op de hoek, en net als Toetanchamon zijn kop laat zakken om te gaan grazen, hoort Rozemarijn geschreeuw.
'Help!' roept iemand. 'Help dan toch!'

8. Omaatje

Bij het bankje in het plantsoen staan twee grote jongens.

Op het bankje zit een oud dametje. Of eigenlijk zit ze niet meer, ze ligt half. Met beide handen houdt ze haar tasje vast. Een van de jongens probeert het uit haar handen te trekken, de andere kijkt zenuwachtig om zich heen.

'Help!' gilt het dametje. Ze schopt woest met haar benen.

Een ogenblik weet Rozemarijn niet wat ze moet doen. Had ik nou mijn toverspiegel maar bij me, denkt ze.

'Hup Toet!' schreeuwt ze. 'Lopen!'

Ze stormen het plantsoen in. Kamelen kunnen vreselijk hard lopen, en Rozemarijn moet zich stevig vastklemmen aan Toets lange haren om er niet af te vallen.

Toetanchamon galoppeert recht op de jongens af. De ene ziet hen aankomen, zijn ogen worden groot van schrik. Hij stoot de andere jongen aan.

'Wegwezen!'

Hij begint te rennen, maar de tweede jongen is niet snel genoeg. Toetanchamon buigt zijn kop en stoot hem als een bok tegen zijn billen.

De jongen struikelt en valt.

Rozemarijn zit te dansen op Toets rug.

'Vooruit, Toet, pak hem!'

De jongen krabbelt overeind en zet het op een lopen. Toetanchamon jaagt hem dwars door het plantsoentje naar de overkant. Daar verdwijnt de jongen in een steegje.
Als Rozemarijn bij het bankje terugkomt, zit de oude dame op haar hurken in het gras.
'Zoekt u iets?' vraagt Rozemarijn.
'Mijn bril,' zegt het dametje. 'Mijn bril is gevallen en nou kan ik hem nergens vinden, want zonder bril zie ik niks.'
Rozemarijn klopt op Toets hals. Hij gaat op zijn knieën liggen en Rozemarijn laat zich op de grond glijden.

Ze ziet de bril meteen. Hij ligt onder de bank, in het gras.
‘Hier is hij,’ zegt Rozemarijn. ‘Maar hij is wel stuk.’
Eén brillenglas is eruit gevallen, en in het andere zit een barst.
‘Lieve hemel,’ zucht het dametje, ‘ook dat nog. Wat ben ik blij dat jij me kwam helpen. Die rotjongens.’
Ze houdt de bril voor haar ogen en tuurt door het kapotte glas.
‘Is dat jouw paard, kind?’
‘Het is geen paard,’ zegt Rozemarijn, ‘het is een kameel.’
Het dametje knikt.
‘Ik vond hem ook al wat groot voor een paard. Wat een lief dier, zou hij een snoepje lusten?’
Ze grabbelt in haar tasje en geeft Toetanchamon een chocoladetoffee.
Toet krijgt zijn kiezen bijna niet meer van elkaar, maar hij vindt de toffee wel lekker. Hij eet hem smakkend op.
‘Hoe heet hij?’ vraagt het dametje.
‘Toetanchamon, maar ik noem hem Toet,’ zegt Rozemarijn. ‘En ik heet Rozemarijn.’
‘Rozemarijn, nu zie ik het pas,’ zegt de oude dame.
‘Jij speelt hier vaak in het plantsoen. Je woont toch in de buurt?’
‘Ja,’ zegt Rozemarijn, ‘ik ken u ook wel. U woont in dat huis met de rode voordeur. Zullen wij u even naar huis brengen, mevrouw?’
‘Eerst naar de politie,’ zegt de oude dame. ‘Ik laat me niet zomaar overvallen, wat denken ze wel. En

noem mij maar omaatje, kind, dat doen de andere kinderen ook allemaal.'

'Durft u op een kameel?' vraagt Rozemarijn. 'Durven wel,' zegt omaatje, 'maar ik kan niet meer zo hoog klimmen. Jammer, ik had het graag eens geprobeerd.'

Rozemarijn neemt Toetanchamon aan de teugel, en omaatje klemt haar tasje onder haar arm. Zo wandelen ze langzaam naar het politiebureau.

Rozemarijn bindt Toet zolang aan een lantarenpaal vast en gaat samen met omaatje naar binnen.

De agent achter de balie luistert aandachtig naar omaatjes verhaal, en hij schrijft alles op. Maar als ze vertelt dat Rozemarijn haar heeft geholpen, trekt hij verbaasd zijn wenkbrauwen op.

'Zo'n klein meisje?'

'Maar ze heeft een kameel, en daar hadden ze niet van terug, hè Rozemarijn?' zegt omaatje stralend.

'Een kameel?' De agent kijkt naar buiten. 'Waar is die dan?'

'Op de parkeerplaats,' zegt Rozemarijn.

De agent grijpt zijn pet en drukt hem stevig op zijn hoofd. 'Dat wil ik dan wel eens zien.'

Buiten loopt hij hoofdschuddend om Toetanchamon heen.

'Van wie is dat beest?'

'Van mij,' zegt Rozemarijn.

'En hoe kom je daaraan?'

'Uit Egypte,' zegt Rozemarijn, 'daar zijn een heleboel kamelen.'

'Vertel mij wat,' mompelt de agent.

Hij kijkt Rozemarijn streng aan. 'Rij je daarop?'
Rozemarijn knikt.
'Dat kan niet, kamelen mogen niet in de bebouwde kom,' zegt de agent.
'Onzin' zegt omaatje.
Rozemarijn trekt aan haar mouw.
'Wat is dat, de bebouwde kom?'
'Dat is de stad,' legt omaatje uit.
'Precies,' zegt de agent, 'en daar kunnen we geen losse kamelen hebben, want die ontregelen het verkeer en dat is veel te gevaarlijk. Dat beest blijft hier.'

9. Rozemarijn vindt er iets op

'Hier blijven?' zegt omaatje. 'Geen sprake van, die kameel is een held. Hij heeft mijn leven gered!'

'Kan best wezen,' zegt de agent, 'maar held of geen held, kamelen horen in de dierentuin, en niet op straat. Daar komen ongelukken van.'

'Maar ...' zegt Rozemarijn.

'Maar ...' zegt omaatje.

'Niks maar,' zegt de agent, 'ik zal het zo snel mogelijk regelen.'

'Maar het is *mijn* kameel!' schreeuwt Rozemarijn.

De agent schudt zijn hoofd.

'Niks aan te doen.'

De tranen springen Rozemarijn in de ogen. Als ze haar toverspiegel maar bij zich had, dan zou ze ... dan zou ze ...

Omaatje ziet het.

'Kom,' zegt ze, 'we gaan naar huis. We vinden er wel wat op. We laten niet zomaar je kameel afpakken.'

Als ze het politiebureau uitlopen, staat de agent al druk te bellen.

Toetanchamon staat nog keurig op de parkeerplaats.

Hij draait rondjes om de lantarenpaal. Als hij Rozemarijn ziet, toetert hij blij.

Rozemarijn klopt hem op zijn flank.

‘Je mag niet mee, Toet, je moet hier blijven.’

Toetanchamon begrijpt er niets van. Hij probeert zich los te rukken, en als Rozemarijn nog eens omkijkt, legt hij zijn kop op het dak van een politieauto. Zijn grote bruine ogen staren haar droevig na.

Omaatje gaat met Rozemarijn mee naar huis, om het uit te leggen.

Eerst vertellen ze alles van de overval. ‘Rozemarijn was heel dapper,’ zegt omaatje, ‘en de kameel ook. Hoe heet hij ook al weer? Toetanchamon. Toet rende zo achter de jongens aan, en die ene had hij nog te pakken, hè Rozemarijn? Maar toen gingen we naar het politiebureau ...’

Papa en mama luisteren zwijgend naar het hele verhaal.

Als omaatje klaar is met vertellen, zegt mama: ‘Maar dat kan toch zomaar niet? Het is onze kameel.’

‘Maar hij is wel erg groot,’ zegt papa zachtjes. ‘Alle goudsbloemen zijn al op, en hij heeft het hele gazon kaalgevreten.’

‘Wat geeft dat nou!’ roept Rozemarijn.

‘Hij mag wel bij mij grazen, dan hoef ik niet te maaien,’ zegt omaatje.

‘Zie je nou? En bij de buurman mag het ook vast wel, want die heeft ook een hekel aan grasmaaien,’ zegt Rozemarijn. ‘Trouwens, ik weet al wat!’

Ze rent naar boven en komt terug met de toverspiegel.

Gauw spuugt ze op haar hand en wrijft over de spiegel.

‘Wij willen Toet terug,’ zegt ze.
‘Niet doen!’ roept mama. ‘Want ...’
Maar het is al te laat, buiten klinkt een harde klap en daarna gerinkel en gekletter.
‘Mijn brommer!’ roept papa.
Ze rennen naar het schuurtje.
Daar is het een bende, alle potjes met schroefjes zijn omgevallen en de brommer ligt op zijn kant. Toetanchamon heeft de hark op zijn kop, maar hij kijkt hen stralend aan.
‘Toet!’ roept Rozemarijn.
‘Mijn koplamp aan diggelen,’ moppert papa. ‘Ik word gek van dat beest.’
Rozemarijn luistert niet naar hem. Ze rent naar Toetanchamon en geeft hem een kusje op zijn neus.
‘Rozemarijn,’ zegt mama, ‘ik vind het heel akelig, maar straks gaat Toet terug naar het politiebureau.’
‘Waarom?’ roept Rozemarijn. ‘Ik wil niet dat hij naar de dierentuin gaat!’
‘Ik ook niet,’ zegt mama, ‘maar toch gebeurt het, want je bent één ding vergeten.’
‘Wat dan?’
‘Dat die agent hier straks op de stoep staat, want die weet waar je woont,’ zegt mama. ‘Dus als Toetanchamon opeens verdwenen is, denkt die agent natuurlijk dat jij hem hebt meegenomen.’

10. Omaatje heeft een plan

Rozemarijn kijkt beteuterd naar de toverspiegel.
'Je kunt niet in het wilde weg die toverspiegel gebruiken' zegt mama. 'Daar komen alleen maar moeilijkheden van. Hoeveel wensen heb je nu nog?'
'Nog één,' zegt Rozemarijn.
'Daar zou ik dan maar heel erg zuinig op zijn,' zegt mama. 'Weet je het nog, het raadsel? Vijf wensen voor de koning en vier voor de mensen.'
'Ja maar,' jammert Rozemarijn, 'straks moet Toetanchamon naar de dierentuin, en dan kan ik hem nooit meer zien.'
'Je kunt hem toch bezoeken?' troost papa. 'We gaan er gewoon iedere zondag naartoe en in de dierentuin heeft hij tenminste de ruimte.'
'Dat is niet hetzelfde,' snikt Rozemarijn, 'en hoe moet het dan met de rommelmarkt?'
'Rommelmarkt?'
'Op school!' zegt Rozemarijn. 'Er komt toch immers een rommelmarkt op school? En Toet mocht meedoen van de juf. Iedereen die wil mag een ritje maken, en daar moeten ze dan vijftig eurocent voor betalen.'
'Wat leuk,' zegt mama.
'Ja,' zegt Rozemarijn, 'maar als Toet naar de dierentuin gaat, dan kan het niet, en het was juist zo'n goed idee!'

‘Luister eens, ik krijg er een beetje genoeg van,’ zegt papa. ‘Ik vind een kameel geen huisdier, en dat beest maakt alles stuk.’
‘Niet waar!’ zegt Rozemarijn.
‘Papa heeft misschien wel een beetje gelijk, en in de dierentuin krijgt Toet waarschijnlijk veel vriendjes,’ zegt mama. ‘Daar zijn vast nog meer kamelen.’
Omaatje knipoogt naar Rozemarijn.
‘Mag Rozemarijn me even naar huis brengen?’ vraagt ze. ‘Ik woon vlakbij.’
‘Natuurlijk,’ zegt papa. ‘Dag mevrouw, tot ziens.’

Buiten zegt omaatje: ‘Wees maar niet bang, Rozemarijn, je denkt toch niet dat ik Toetanchamon in de steek laat?’
Rozemarijn kijkt haar eens goed aan. Omaatjes ogen glinsteren.
‘Waar slaap jij, Rozemarijn?’
‘Daar,’ zegt Rozemarijn. Ze wijst naar het raam van haar slaapkamer.
‘Wat bent u van plan?’
‘Kun jij goed klimmen, langs regenpijpen en zo?’ vraagt omaatje.
Rozemarijn knikt, in het klimtouw is ze de beste van de klas.
‘Mooi zo,’ zegt omaatje, ‘vanavond, als het donker is, kom jij naar mijn huis en dan gaan we samen naar het politiebureau.’
‘Maar we krijgen hem tóch niet mee’ zegt Rozemarijn verdrietig.
Omaatje lacht geheimzinnig.

'We vragen het ook niet.'
'Bedoelt u ...' stottert Rozemarijn.
Omaatje knikt.

's Avonds na het eten gaat Rozemarijn naar de schuur. Ze heeft een bruin brood en een winterwortel voor Toetanchamon meegenomen, en twee kroppen sla en een emmer water.
Toet staat lekker te eten, en Rozemarijn aait hem over zijn neus.
Het begint al te schemeren en mama doet de keukendeur open.
'Rozemarijn, kom je binnen?'
'Ik kom zo!' zegt Rozemarijn.
Ze geeft Toetanchamon nog een klopje. 'Tot straks,' fluistert ze.
Binnen zitten ze met zijn drieën te wachten tot de bel gaat.
Mama kijkt verdrietig en papa is stilletjes.
'Ik vind het ook erg, hoor Rozemarijn, maar het kan niet anders,' zegt hij.
Rozemarijn zegt niks, ze luistert.
En ja hoor, als het bijna donker is, gaat de bel.
'Ik doe wel open,' zegt papa.
Ze horen hem in de gang met iemand praten, en hij komt terug met de agent.
'Dag mevrouw, dag zus,' zegt de agent.
'Ik heet geen zus, ik heet Rozemarijn,' zegt Rozemarijn snibbig.
De agent legt zijn pet op de tafel.
'Het spijt me voor je,' zegt hij, 'maar ik zal de

kameel weer mee moeten nemen. Ik zag hem al in de schuur staan, en zeg nou zelf, dat is toch geen leven voor zo'n beest?'
Rozemarijn geeft geen antwoord. Wacht maar, denkt ze.
De agent zet zijn pet weer op.
'Dag mevrouw, dag Rozemarijn.'
'Ik loop met u mee,' zegt mama.
De deur gaat dicht, en even later horen ze een bons, en daarna gerinkel en gekletter.
'Mijn brommer,' zucht papa.

11. Rozemarijn redt Toetanchamon

Rozemarijn ligt in bed, de gordijnen zijn dicht en het licht is uit.
Mama heeft extra lang voorgelezen en Rozemarijn wel drie keer geknuffeld, omdat ze het zo zielig vindt van Toetanchamon. Nu denkt ze dat Rozemarijn allang slaapt, maar Rozemarijn is klaarwakker. Ze zit rechtop in bed te wachten.
Ze hoort papa koffie zetten, en mama roepen: 'Je hebt de suiker vergeten!'
Papa loopt weer naar de keuken en terug naar de kamer. De deur gaat dicht.
Rozemarijn klimt uit bed. Gauw trekt ze haar pyjama uit en haar kleren aan. Ze doet het lampje aan boven haar bureautje. Op een papiertje schrijft ze:

Ik ben Toet aan het redden.
Ik blijf niet lang weg, denk ik.
Rozemarijn.

Het briefje legt ze op haar hoofdkussen. Als mama dan nog een keertje komt kijken, schrikt ze tenminste niet zo erg.
Rozemarijn doet het raam wijd open. Net naast het raam loopt de regenpijp, en het is helemaal niet moeilijk om je daarlangs naar beneden te laten glijden. Dat heeft ze al zo vaak gedaan.

Ze slaat haar been over de vensterbank, grijpt de regenpijp beet en laat zich zakken.

Ze holt de hoek om, en nog een hoek om en dan staat ze al bij omaatje op de stoep.

Als ze aanbelt, gaat de deur meteen open.

‘Maar kind,’ zegt omaatje, ‘moet jij geen jas aan?”

‘Nee hoor,’ hijgt Rozemarijn, ‘het is helemaal niet koud. Wat ziet u er gek uit!’

Omaatje heeft een zonnebril op.

Rozemarijn giechelt. ‘Het is al donker, hoor, of doet u dat omdat we voor boef gaan spelen?’

‘Dit is mijn reservebril,’ zegt omaatje, ‘voor als ik in de tuin zit te lezen. Maar nu moet ik hem wel op, anders struikel ik straks nog over jouw kameel.’

Voor het politiebureau blijven ze staan.

Op de parkeerplaats staan een stuk of zes auto’s, maar nergens staat een kameel.

‘Hij is weg!’ zegt Rozemarijn. ‘Misschien is hij al ...’

‘Wacht eens:’ zegt omaatje, ‘wat staat er op die vrachtauto? Ik kan het niet goed zien, het is zo donker met die bril op.’

‘Dierentransport,’ leest Rozemarijn.

Ze kijken elkaar aan.

Rozemarijn holt naar de vrachtauto.

‘Toet!’ roept ze zachtjes. ‘Toetanchamon, ben je daar?’

Heel even blijft het stil, maar dan klinkt er een luid getoeter uit de vrachtauto.

‘Hij zit erin!’ zegt Rozemarijn. ‘Ssst! Niet zo hard,Toet, straks horen ze je nog!’

Omaatje bekijkt de deuren van de vrachtwagen.
'Kijk, Rozemarijn,' zegt ze zachtjes, 'je hoeft alleen maar die hendel terug te schuiven.'
'Daar kan ik niet bij,' fluistert Rozemarijn.
'Ik wel, maar dan moet jij erin klimmen en Toet naar buiten leiden,' zegt omaatje. 'Durf je dat?'
'Durf ik best,' zegt Rozemarijn.
Omaatje schuift de hendel terug. In de vrachtauto staat Toetanchamon te trappelen en te bonken.
Rozemarijn klimt naar binnen. In de laadruimte is het stikdonker. Ze loopt pardoes tegen Toet op. Haar hand strijkt langs de teugels en ze pakt ze stevig vast.
'Kom, Toet.'
Rozemarijn springt weer op de grond, maar Toetanchamon vindt het te hoog. Angstig kijkt hij naar beneden.
'Schiet nou op,' zegt Rozemarijn. 'Springen!'
Maar Toetanchamon durft niet, hij laat zijn kop zakken en toetert klaaglijk.
'We moeten eigenlijk zo'n soort trappetje hebben,' zegt omaatje. 'Een plankier, net als voor een kippenhok.'
'Hebt u toffees bij u?' vraagt Rozemarijn.
Omaatje grabbelt in haar jaszak en houdt Toetanchamon een chocoladetoffee voor. Toet buigt zijn kop en grist hem bliksemsnel van haar hand. Kners, zeggen zijn kiezen, en weg is de toffee.
Oma doet een stapje achteruit en pakt opnieuw een toffee. Toetanchamon buigt weer zijn kop, maar nu kan hij er niet bij. Hij doet een stapje naar voren,

en nog een en nog een … En dan maaien plotseling alle vier zijn poten door de lucht. Zijn hoeven kletteren op de straatstenen, en hij toetert van schrik. 'Gauw' zegt omaatje. 'Wegwezen!' Toetanchamon krabbelt overeind en Rozemarijn is net bezig op zijn rug te klimmen, als opeens een zware stem zegt: 'Wat moet dat daar?'

12. Even de benen strekken

Rozemarijn glijdt bijna tussen Toets bulten vandaan, zo schrikt ze. Want daar staat een agent!
Maar omaatje blijft heel kalm.
'Goedenavond, agent,' zegt ze. 'Wij laten onze kameel uit.'
Het is een andere agent als die van 's middags, en hij snapt niet goed waar omaatje het over heeft.
'Is dat uw kameel?'
'Zeker,' zegt omaatje. Ze zet haar zonnebril af en glimlacht vriendelijk.
'En wat doet die dan hier?' vraagt de agent en hij kijkt omaatje wantrouwend aan.
'Een luchtje scheppen,' zegt omaatje. 'Een ommetje maken, even de benen strekken, begrijpt u wel? Hij heeft een verre reis gemaakt.'
'O ja?' zegt de agent. Hij kijkt van omaatje naar Rozemarijn en weer terug.
'Helemaal uit Egypte,' zegt omaatje.
'Dat kan best wezen,' zegt de agent, 'maar u kunt hier zomaar niet een kameel parkeren. Dit is een parkeerplaats voor auto's, en niet voor allerhande wilde beesten.'
'Dat wist ik niet,' zegt omaatje. 'Laten we dan maar gauw gaan, en neemt u het ons vooral niet kwalijk, agent. Goedenavond!'
Ze geeft Toetanchamon een klapje op zijn flank en

Toet begint te lopen. Kaarsrecht wandelt omaatje ernaast, ze kijkt niet één keer om.
Als ze de hoek om zijn, vraagt Rozemarijn: 'Waar gaan we nu naartoe?'
'Naar mijn huis,' zegt omaatje, 'want als de politie merkt dat Toetanchamon verdwenen is, denken ze natuurlijk meteen dat hij weer bij jou staat.'

Langs allerlei stille straatjes lopen ze naar omaatjes huis.
'We gaan achterom,' zegt omaatje. 'Hij moet maar in het schuurtje, ik hoop dat hij erin past.'
Ze maakt het tuinhekje open en Toetanchamon kleppert over het klinkerpaadje naar de schuur.
Het is een nog kleinere schuur dan die van Rozemarijn, en Toetanchamon past er niet in. Zijn voorste helft wel, maar zijn achterste helft niet. Die steekt er helemaal uit.
'Ik heb nooit geweten dat kamelen zulke grote achterkanten hebben,' zucht omaatje.
Ze kijkt naar de lucht, die vol sterren staat. 'Het blijft vast wel droog vannacht, en morgen zien we weer verder. Morgenochtend mag hij lekker grazen. Kom kind, jij moet ook naar huis, het is al laat.'
Als Toetanchamon ziet dat Rozemarijn weggaat, dribbelt hij meteen achteruit het schuurtje weer uit en holt achter haar aan.
'Ho!' roept omaatje.
'Je kunt niet mee, Toet,' zegt Rozemarijn zachtjes. Ze kriebelt hem op zijn neus.
'Toe-hoet?' zegt Toetanchamon.

Hij maakt aanstalten om over het hekje te klimmen, maar Rozemarijn trekt hem terug.
'Hier blijven, Toet, morgen kom ik je weer halen.'
Omaatje pakt de teugels en leidt hem opnieuw het schuurtje in. Ze bindt hem vast aan de grasmaaier.
Rozemarijn loopt het paadje weer af en kijkt nog even door het raampje. Toetanchamon laat zijn kop verdrietig hangen.
Thuis klautert Rozemarijn zo zacht ze kan langs de regenpijp omhoog. Haar raam staat nog steeds wijd open, en in de huiskamer zijn de gordijnen gesloten.
Papa en mama hebben niks gemerkt, denkt Rozemarijn, gelukkig maar.
Ze kleedt zich uit en kruipt onder de dekens.
Maar slapen kan ze niet. Ze piekert over Toet.
Vannacht staat hij veilig bij omaatje, maar daar kan hij niet blijven. Hoe moet het nu verder met hem?

13. Hij is weg!

De volgende morgen zitten ze te ontbijten als de bel gaat. Hij gaat heel hard en heel lang.
'Nou, nou,' zegt papa, 'wie is daar nu al zo vroeg?'
Rozemarijn denkt dat ze het weet, maar ze zegt niks. Papa doet de deur open. Er staat een agent op de stoep, dezelfde agent van gisteravond. Hij kijkt niet bepaald vriendelijk.
'Goedemorgen, agent,' zegt papa opgewekt.
'Helemaal geen goede morgen,' zegt de agent. 'Kom op met die kameel.'
'Kameel?' zegt papa verbaasd. 'Die is niet hier. U hebt hem gisteren zelf opgehaald. Hij staat op het politiebureau.'
'Daar stond hij inderdaad,' zegt de agent streng. 'Maar nu staat hij er niet meer, en wij hebben een sterk vermoeden dat hij hier is, dus ik mag wel even rondkijken?'
'Natuurlijk,' zegt papa.
De agent loopt mee naar binnen.
'Dag mevrouw, dag jongedame, waar is de kameel?'
'Kameel?' zegt mama. 'Die staat op het politiebureau. U hebt hem zelf ...'
'Geen geintjes,' zegt de agent. 'Hij is weg, hij is wéér weg.'
'Hier is hij niet,' zegt mama. 'Kijkt u maar in het schuurtje.'

‘Ik wou ook wel even boven kijken’ zegt de agent.
‘U denkt toch niet dat wij een kameel de trap op kunnen krijgen?’ lacht mama.
De agent zegt niks. Hij kijkt Rozemarijn onderzoekend aan.
Rozemarijn zegt ook niks, maar ze krijgt wel een kleur.
‘Mag ik jouw kamer eens zien?’ vraagt de agent.
Rozemarijn staat op en loopt voor de agent uit naar boven.
‘Ziet u wel?’ zegt ze. ‘Hier is helemaal niemand, en zeker geen kameel.’
De agent bukt zich en kijkt langdurig onder haar bed.
Alsof Toetanchamon onder mijn bed zou passen, denkt Rozemarijn, en ze moet bijna hardop lachen.
Hoofdschuddend loopt de agent haar kamertje uit.
Hij kijkt in de andere slaapkamers, en zelfs in de badkamer, en ten slotte sjokt hij de trap weer af.
‘Ik zou toch gezworen hebben dat dat beest hier was,’ mompelt hij.

‘Rozemarijn’ zegt papa streng als mama de agent naar de deur brengt. ‘Waar is Toet?’
‘Bij omaatje,’ zegt Rozemarijn, ‘in het schuurtje, tenminste, voor de helft.’
‘Hoe bedoel je, voor de helft?’
‘Nou,’ zegt Rozemarijn, ‘zijn ene helft staat erin, en zijn andere helft staat buiten.’
Papa schudt ook al zijn hoofd. ‘Zo kan het niet langer, ik word stapelgek van die kameel. Maar ik

kom te laat op mijn werk. We praten er vanmiddag nog wel over.'
Papa is nog maar net weg als opnieuw de bel gaat.
'Wat nu weer?' zegt mama.
Rozemarijn holt naar de deur. 'Het is omaatje!'
Ze rukt de deur open.
Omaatje staat helemaal verwaaid op de stoep. Haar jas zit scheef dichtgeknoopt en ze heeft maar één schoen aan, aan haar andere voet zit een versleten pantoffel. Ze heeft haar zonnebril weer op.
'Rozemarijn,' hijgt ze, 'er is iets vreselijks gebeurd!'
'Heeft de politie Toet weer meegenomen?'
'Nee,' zegt omaatje, 'Toetanchamon is weg, verdwenen!'

14. Waar is Toetanchamon?

‘Weg? Hoe kan dat nou!’ roept Rozemarijn. ‘Ik weet het ook niet,’ zegt omaatje verdrietig. ‘De buurvrouw was vanmorgen al heel vroeg op, toen het nog bijna donker was, en zij zag hem over het hekje springen. Ze kwam vragen of ik misschien een geit had gekocht.’

‘We hadden hem beter moeten vastbinden,’ zegt Rozemarijn.

‘Waaraan?’ zegt omaatje. ‘Zo’n beest is sterk, hoor. Mijn grasmaaier lag midden op straat. Die heeft hij zo van zich afgeschud. Ik denk dat hij het akelig vond in dat donkere, kleine schuurtje.’

‘Hij wilde er ook al niet in,’ zegt Rozemarijn. ‘Hij páste er niet in,’ zegt omaatje. ‘Hij heeft het vast koud gehad vannacht, en kamelen houden niet van kou, die zijn een lekker warm klimaat gewend.’

Mama komt ook naar de voordeur.

‘Wat is er allemaal aan de hand?’ ‘Toetanchamon is weg,’ zegt Rozemarijn. ‘Dat wisten we toch al,’ zegt mama. ‘Dat kwam die agent net vertellen.’

‘Eh ...’ zegt omaatje.

‘Wij hadden Toet gered,’ legt Rozemarijn uit, ‘gisteravond, in het donker. Maar we durfden hem niet hiernaartoe te brengen en toen hebben we hem bij omaatje in het schuurtje gezet.’

‘Voor de helft,’ zegt omaatje.

‘Hoezo, voor de helft?’
‘Er paste maar één helft in,’ zegt Rozemarijn. ‘Het is maar een heel klein schuurtje, en nu is Toetanchamon vanmorgen over het hek gesprongen en weggelopen.’
‘Ach, dat arme beest,’ zegt mama. ‘Hij wordt van hot naar her gesleept, geen wonder dat hij er niets meer van begrijpt. Ik zou me ook ongelukkig voelen als er zo met me gesold werd.’
‘Maar hij mag nergens blijven!’ roept Rozemarijn. ‘Hij denkt vast dat ik hem in de steek heb gelaten. Daarom is hij natuurlijk gevlucht!’
Ze trekt haar jas aan. ‘Ik ga hem onmiddellijk zoeken!’
‘Jij moet naar school,’ zegt mama.
‘Zal ik hem gaan zoeken?’ biedt omaatje vriendelijk aan.
Rozemarijn schudt haar hoofd. ‘U durft er niet op, enne ... met die bril op kunt u ook niet zo goed zien.’
‘Dat is waar.’ Omaatjes vrolijke appeltjesgezicht trekt in rimpels, en opeens ziet ze er oud uit.
‘Wij gaan samen, Rozemarijn,’ beslist mama. ‘We kunnen dat beest niet aan zijn lot overlaten.’
‘Als ik twintig jaar jonger was, ging ik met jullie mee,’ zucht omaatje.

Ze brengen eerst omaatje naar huis. Ze krijgen een hele zak chocoladetoffees van haar mee, omdat Toetanchamon die zo lekker vindt. Daarna gaan ze het op school vertellen. Alle kinderen willen meteen

mee helpen zoeken, maar dat mag niet van de juf.
'Dan wordt hij alleen maar nog banger,' zegt ze. 'Doe je best, Rozemarijn, want overmorgen is de rommelmarkt!'

'Waar gaan we nou het eerst zoeken?' vraagt Rozemarijn aan mama.
'Nergens,' zegt mama, 'want we weten niet waar hij naartoe gelopen is. We gaan gewoon rondlopen, en we letten goed op de gezichten van de mensen die we tegenkomen.'
'Waarom?'
'Nou,' zegt mama, 'een kameel kom je niet zo vaak tegen, dus daar praat je over.'

Ze zwerven door de hele stad, en ze luisteren naar de gesprekken van de mensen om hen heen. Maar niemand ziet er opgewonden uit, en niemand praat over een loslopende kameel.
Eindelijk zitten ze op het bankje in hetzelfde plantsoentje als waar omaatje is overvallen.
'Ik heb honger,' zegt Rozemarijn.
'Ik ook,' zegt mama. Ze trekt haar schoenen uit en wriemelt met haar tenen. 'Hier, neem een toffee.'
Samen eten ze bijna de hele zak chocoladetoffees leeg.
'Gaan we nou weer verder zoeken?' vraagt Rozemarijn.
'Mijn voeten doen zeer' zegt mama moedeloos, 'en mijn rug doet pijn, en ik snap er helemaal niets van.'

'Wat snap je niet?'
'Nou' zegt mama, 'waar kan dat beest in vredesnaam gebleven zijn? Een loslopende kameel zie je toch niet over het hoofd. Waar zou jij naartoe gaan, Rozemarijn, als je bang was?'
'Naar huis,' zegt Rozemarijn.
'Ja, maar Toetanchamon komt uit Egypte,' zegt mama. 'Dat is veel te ver. Hij wil misschien wel graag naar huis, maar het kan niet.'
Rozemarijn knikt. Toet kan niet naar Egypte teruglopen, dat begrijpt ze wel.
'Als ik niet naar huis kon,' zegt ze, 'dan ging ik naar papa's kantoor, of naar een vriendinnetje.'

'Je bedoelt naar een plek waar je je veilig voelt?'
Rozemarijn knikt weer. 'Tuurlijk.'
'Waar zou Toetanchamon zich dan toch een beetje veilig voelen?' peinst mama.
'In de zandbak, op school!' roept Rozemarijn. 'Daar was hij niet,' zegt mama. 'We zijn toch net op school geweest.'
Rozemarijn springt opeens op. 'We hoeven niet meer te zoeken!' 'Waarom niet?'
'Ik kan hem toch immers gewoon terugwensen?' zegt Rozemarijn. Opgewonden grabbelt ze in haar zak. 'Ik heb de toverspiegel bij me!'
Ze wil al aan haar hand likken als mama zegt:
'Maar het is je allerlaatste wens. Weet je zeker dat je dat wilt?'
'Natuurlijk!' roept Rozemarijn ongeduldig. 'Wat kan mij die wens schelen? Ik wil Toet terug, dat is veel belangrijker!'
'Luister nou eens even naar me' zegt mama. 'Ik wil Toet ook vinden, want hij kan niet blijven rondzwerven. Maar ik denk dat hij is weggelopen omdat hij eenzaam was. Daar moet je toch eens goed over nadenken, Rozemarijn, Toetanchamon is geen postpakketje dat je maar heen en weer kunt sturen.'
'Nee, maar ...' zegt Rozemarijn. En dan springt mama ook op.
'Ik weet het, tenminste, ik dénk dat ik het weet!'
'Waar dan?'
'Bij die nieuwe flats!' gilt mama. 'Nou ja, die staan er nog niet, maar die komen er, dat heb ik in de krant gelezen. Nu is er alleen een bouwput.'

‘Wat is dat, een bouwput?’
‘Een soort zandvlakte waar ze beton op storten,’ zegt mama. ‘En daarop worden dan die flats gebouwd, wel zes verdiepingen hoog, geloof ik. Maar eerst komt er een dikke laag zand. Het is daar bij de spoorlijn, weet je wel? Kom, we gaan meteen kijken!’

15. Daar is hij!

Ze hollen naar de spoorlijn. Rozemarijn rent zo hard ze kan, en ze loopt zelfs sneller dan mama, want die heeft zere voeten.
Als Toetanchamon er nou maar is, want als hij daar 66k niet is, dan is hij echt weggelopen, misschien wel naar een andere stad, denkt Rozemarijn. Dan vinden we hem nooit meer terug!

Ze steken de spoorweg over, en dan moeten ze nog tegen een dijkje opklimmen, en daarachter ligt eindelijk de bouwput.
Eerst zien ze niks. Er staan al een paar keten, voor de bouwvakkers die straks de flats komen bouwen.
Maar dan ...
‘Daar!’ schreeuwt Rozemarijn. ‘Daar is hij!’
Achter een van de keten ligt Toetanchamon in het zand, precies zoals hij ook in Egypte in de woestijn ligt. Zijn poten netjes onder zich gevouwen, zijn kop een beetje gebogen.
‘Och,’ zegt mama, ‘kijk hem nou eens tevreden liggen.’
‘Toet, kom dan!’ roept Rozemarijn.
Toetanchamon kijkt op, maar hij komt niet naar hen toe.
‘Zou hij ziek zijn?’ vraagt Rozemarijn ongerust.
‘Nee hoor, hij ligt gewoon lekker,’ zegt mama.

'Volgens mij heeft hij het hier best naar zijn zin, net alsof hij thuis in de woestijn is.'
En dat is zo. Toetanchamon wil helemaal niet mee. Hij staat wel op als Rozemarijn de teugels pakt, maar als ze hem wil meetrekken, stribbelt hij tegen. Eerst wil hij weer gaan liggen, en dan zet hij zijn poten schrap.
Rozemarijn trekt zachtjes aan de teugels. Hard trekken gaat niet, want de teugels zitten aan een zilveren ring vast die door Toets neus gaat. Je moet voorzichtig zijn, anders doet het vreselijk zeer.
Mama houdt hem een chocoladetoffee voor, en als Toetanchamon die wil pakken, doet ze een stapje achteruit. Zo lokken ze hem voetje voor voetje mee, tegen het dijkje op, de spoorweg over, en naar huis.
Papa is al thuis en komt meteen naar buiten als hij hen ziet. Hij klopt Toetanchamon op zijn hals.
'Zo, ouwe jongen, ben je er weer?'
Nu hij de tuin ziet, fleurt Toet een beetje op, en hij

loopt direct naar het schuurtje. Rozemarijn doet de deur voor hem open en Toet stapt naar binnen.
'Pas op mijn ...' begint papa.
Maar het is al te laat ... bam!
'Alweer!' schreeuwt papa.
'Wees blij dat hij terug is,' zegt mama. 'We hebben de hele dag naar hem gezocht.'
Mopperend hijst papa zijn brommer weer overeind. 'Moet je zien, allemaal blutsen en deuken, en het voorwiel staat helemaal scheef, en hier, de verf beschadigd. Ik ben het zat, als je dat maar weet. Dat beest hoort niet in een schuur, het hoort in een stal. Straks is er van die brommer alleen een berg schroefjes over.'
'Koop een vouwfiets,' zegt mama. 'En houd op met mopperen. Ik heb blaren op allebei mijn hielen, daar zeur ik ook niet over.'
'Hoe komt dat beest nou eigenlijk weer hier?' zegt papa. 'Hij moest toch naar de dierentuin? En die agent kwam hier, ik begrijp er niks meer van.'
Mama legt het uit, en papa poetst binnensmonds mopperend voor de zoveelste keer zijn brommer weer op.
Intussen voert Rozemarijn Toet een paar bruine boterhammen en een krop andijvie. En daarna gaat ze omaatje bellen, en de juf, om te zeggen dat Toetanchamon weer veilig is thuisgekomen.
'Wat fijn, ik kom zo snel mogelijk naar hem kijken,' zegt omaatje.
'Heerlijk, nu wordt de rommelmarkt vast een geweldig succes, Rozemarijn!' zegt de juf.

16. Heimwee

Op de dag van de rommelmarkt is Rozemarijn al vroeg op. Ze borstelt Toetanchamon met een oude haarborstel, net zolang tot alle klitten uit zijn vacht zijn en hij mooi begint te glanzen.
Daarna bindt ze een rood met wit gestippelde strik aan de teugels, en dan gaat ze naar school.
Het plein ziet er prachtig uit, want overal staan vrolijke kraampjes die versierd zijn met felgekleurde vlaggetjes. Zelfs het ijscokarretje is er al, en er zijn een heleboel kinderen.
Als ze Toetanchamon zien, beginnen ze allemaal te juichen.
'Ik eerst!' roept een meisje.
'Nee, ik, nietes, ik eerst!'
Ze staan te dringen om Toet heen, tot de juf zegt: 'Jongens, netjes in de rij, zo gaat het niet. Rozemarijn, als jij nu steeds op zijn rug blijft zitten, dan kun jij sturen. Een rondje om de school, en dan is de volgende aan de beurt.'

Het gaat geweldig. Het wordt steeds drukker op het plein, en zelfs een heleboel vaders en moeders willen een ritje maken.
Toetanchamon loopt keurig zijn rondjes. Na elk ritje mag hij eerst even uitrusten, en dan krijgt hij iets lekkers.

Omaatje komt ook kijken, en ze doet overal aan mee. Ze eet een aardbeienijsje met slagroom, ze gaat koekhappen en ballengooien. Haar bril is weer heel, dus ze kan alles buitengewoon goed zien.
'Wilt u ook een ritje maken?' vraagt Rozemarijn. 'U mag natuurlijk gratis, omdat we samen Toet gered hebben.'
Omaatje lacht.
'Vooruit, ik doe het, dit is vast mijn allerlaatste kans om op een kameel te zitten.'
Toet gaat voor de zoveelste keer op zijn knieën liggen, een van de vaders helpt een handje, en hup, daar gaan ze.
Iedereen klapt, en omaatje straalt.
Met een sprongetje staat ze weer op de grond. Ze aait Toet over zijn neus.
'Wat is het toch een lief dier,' zegt ze, 'maar het lijkt wel of hij magerder wordt.'
'Hij eet niet zoveel,' zegt Rozemarijn, 'veel minder dan eerst, en vanmorgen wilde hij alleen maar een beetje water, verder niks.'
Toetanchamon trekt zachtjes aan de teugels. Hij wil naar de zandbak.
'Laat hem maar even. Hij heeft zo hard gewerkt. Hij heeft het dik verdiend,' zegt de juf.

Toetanchamon stapt in de zandbak rond, en daarna gaat hij liggen, en wil niet meer overeind.
'Neem hem maar mee naar huis, ik denk dat hij moe is,' zegt de juf. 'Hij heeft verschrikkelijk veel gelopen en de rommelmarkt is toch bijna afgelopen.'

Thuis wil Toet alleen een boterham en een worteltje. Dan gaat hij in de schuur liggen en doet zijn ogen dicht.

Rozemarijn blijft een poosje bij hem zitten. Ze praat zachtjes tegen hem, want dat vindt hij altijd fijn, maar nu vindt hij er niks aan. Hij doet zijn ogen niet meer open.

De volgende morgen wil Toetanchamon weer niet eten.

Rozemarijn heeft verse boterhammen voor hem neergelegd, maar hij ruikt er alleen even aan, en dan draait hij zijn kop om.

‘Ga nou eten,’ zegt Rozemarijn ongerust. ‘Toe nou, Toet, als je niet eet, ga je dóód, hoor!’

‘Toe-hoet,’ zegt Toetanchamon treurig.

Rozemarijn aait hem over zijn neus.

‘Toe dan, Toet,’ zegt ze zachtjes.

Maar Toetanchamon wil niet. Hij legt zijn kop op de tuintafel, en zijn grote, bruine kamelenogen kijken nog droeviger dan anders.

‘Mama,’ roept Rozemarijn, ‘kom eens kijken, Toet doet zo raar!’

‘Wil hij alweer niet eten?’ vraagt mama.

‘Nee’ zegt Rozemarijn, ‘hij is vast ziek.’

‘Hij ziet er helemaal niet ziek uit,’ zegt mama. ‘Ga maar een eindje met hem wandelen, misschien krijgt hij dan wel honger.’

Rozemarijn pakt de teugels.

‘Ga je mee naar de zandbak, Toet?’

Toetanchamon krabbelt overeind. Hij schopt weer

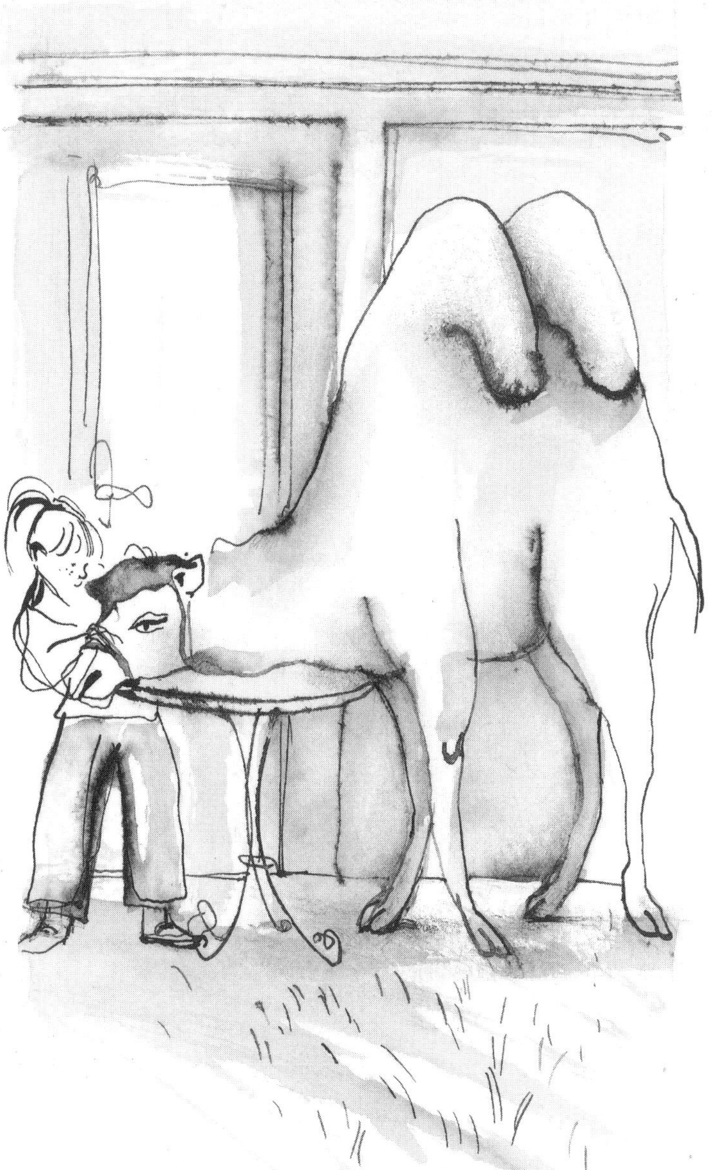

tegen de brommer, hij gooit de pot met schroefjes om, hij stoot zijn kop tegen het dak, en dan staat hij eindelijk buiten.
Hij sjokt braaf mee naar de zandbak. Daar loopt hij twee rondjes, en dan stapt hij er weer uit.
'Wil je niet meer?' vraagt Rozemarijn. Toetanchamon zegt niks, zelfs geen toe-hoet. Hij draait zich om en sukkelt uit zichzelf terug naar huis.
Rozemarijn zucht. Een kameel hebben is soms toch wel moeilijk. Je kunt niet met hem stoeien, zoals met een hond, en hij kan niet op schoot, zoals een poes.
Thuis vraagt mama: 'Wil hij nu wel eten?'
'Nee,' zegt Rozemarijn verdrietig, 'en hij vindt de zandbak ook al niet meer leuk.'
'Weet je wat ik denk?' zegt papa. 'Ik denk dat Toet heimwee heeft.'
'Wat is dat, heimwee?'
'Dat is dat hij naar huis verlangt,' zegt mama. 'Toetanchamon heeft zijn hele leven in Egypte gewoond. Hij mist de woestijn, en de warme zon, en zijn vriendjes en vriendinnetjes.'
'Ik ben nu toch zijn vriendinnetje,' zegt Rozemarijn.
'Jawel,' zegt papa. 'Maar dat is niet hetzelfde. Jij bent geen kameel.'
Rozemarijn geeft geen antwoord. Ze snapt heus wel wat papa bedoelt, maar ze wil het niet toegeven.
Ik vind Toet net zo lief, denkt ze. Ik wil hem helemaal niet missen, en misschien vergeet hij wel dat hij heimwee heeft. Ik heb wel eens drie nachtjes bij

opa en oma geslapen, en toen moest ik een beetje huilen. Dus toen had ik ook heimwee. Maar ik ben toch gebleven.

Ze kijkt naar Toetanchamon.

Hij sabbelt lusteloos aan een sok die aan de waslijn hangt. Hij is echt magerder geworden, en allebei zijn bulten hangen zielig naar beneden.

Stel je voor, denkt Rozemarijn, stel je voor dat ik nooit meer naar huis zou mogen, dat ik altijd in een vreemd land moest wonen, zonder papa en mama en zonder vrienden ...

Ze haalt diep adem.

'Mam,' zegt ze. Haar stem bibbert een beetje, maar ze zegt het toch. 'Mam, hij moet maar terug naar Egypte.'

Mama strijkt Rozemarijn over haar haar.

'Ik denk echt dat dat het beste is voor Toet, Rozemarijn.'

Rozemarijn knikt.

En dan aarzelt ze niet langer.

Ze holt naar boven, naar haar kamer, en komt weer terug met de toverspiegel in haar hand.

'Wat ga je doen?' vraagt papa.

'Ik heb nog één wens,' zegt Rozemarijn, 'en daarmee ga ik Toetanchamon terugwensen naar Egypte.'

Mama knikt.

'Iets beters zou je met je laatste wens niet kunnen doen.'

'Kom,' zegt papa, 'dan gaan we het hem vertellen.'

Met zijn drieën gaan ze naar de schuur.

Toetanchamon ligt in elkaar gedoken op de grond.

Hij kijkt niet eens op als ze binnenkomen.
Papa klopt hem op zijn flank.
'Het beste, jongen.'
Mama aait hem over zijn kop.
'Dag Toetanchamon, ga maar weer lekker rennen door de woestijn.'
Rozemarijn geeft hem een kusje op zijn neus.
'Dag lieve Toet,' fluistert ze, 'word maar weer heel gelukkig.'
Ze spuugt op haar hand en wrijft voor de laatste keer over de toverspiegel.
'Ik wens Toetanchamon terug naar Egypte,' zegt ze plechtig.
Er klinkt een bons, en daarna gerinkel en gekletter.
En voor de allerlaatste maal roept papa: 'Mijn brommer!'

…… 

 ……